마음과 자연과 사색에 대하여

발 행 2015년 04월 27일
저 자 박찬우
펴낸곳 주식회사 부크크
주 소 경기도 안산시 단원구 연수원로 87 창의관 311호
전 화 (070) 4084-7599
E-mail info@bookk.co.kr

ISBN 979-11-5811-126-7

www.bookk.co.kr

마음과 자연과 사색에 대하여

박찬우

목　차

한줄기 신선한 바람이
마음 위에 “도”를 그리면
사색의 선율이 코끝과 볼에 스치며
내안의 심장과 하나가 되어 진다.
이는 살아 있기에
느끼는 감정일 것이다.
속마음을 조금 드러내본다.
한번쯤 생각을 나눌 수 있다면
그것으로 좋겠다.

Jan, 7, 2015. 찬 우

마음과 자연과 사색에 대하여

하늘은 가장 가까운 곳에 있는데

우주라는 하늘 속에 지구가 있다.
그 지구 안에 내가 또한 있다.
물론 나를 감싸고 있는 것은 하늘이다.
그렇다 하늘은 먼 곳에 있는 것이 아니라,
이미 먼 곳인 이곳에 있다.

나는 허공일까?

눈을 감고 잠시 내안을 들여 다 본다.
어디에도 나는 보이질 않는다.
캄캄하고 어두운 허공만 존재하고 있다.
나란 실체는 허공 속에 서있다.
그렇다 나는 허공이요 우주 자체 인 것이다.

내가 서있는 이곳은 땅 끝이다

땅 끝은 먼 곳에 있는 것이 아니다.
지금 내가 서 있는 이곳이
지구의 맨 위쪽 땅 끝이 아니겠는가?
그리고 머리 위엔 하늘이 닿아있다.
하늘과 나와 땅,
천지인이 항상 함께 하고 있는 곳이다.

눈길을 걷는다 해도

방향성에 초점을 둔다면
비록 발자국은 매끄럽지 않게 보일지라도
결국 지향하는 목표에 도달할 것이다.

마음이 변화무쌍 하다고 한다면

마음이 시선(視線)이란 화살에 실려
여러 곳으로 꽂히기 때문이다.

사색을 통해 내안을 살피라 했더니

나를 살피라 했더니,
내가 살피고 있는 대상을 살피고 있다.
이는 모색이지 사색은 아니다.

생각을 많이 할수록 복잡해지는 걸까?

생각을 많이 하면 복잡할 것 같아도,
생각을 많이 한만큼 결론은 짧고 명료해진다.
유명 철학자들의 명제를 보라!
짧고 명료하다.
철학이 복잡하다 생각이 든다면,
이는 생각이 사색 밖으로 나와서
방황하는 것일 것이다.

글을 쓰는 이유 중 하나는

청소를 하고 나면 개운해지는 것처럼,
마음속에 흩어져 있는 상념들을 모아,
글로 표현하여 보라.
마음속이 개운해 짐을 느낄 것이다.

마음을 비우고 싶다면

마음을 비우고 싶을 때는,
마음을 줄이면 그만이다.

자연 속에서의 힐링되는 것이란

지친 마음을
햇살 그윽한 들판에 펼쳐 말려
마음 곳곳에
자연이 스며들도록 하는 것이다.

사람의 마음을 알 수 없다 해도

사람은 소자연이니
그 마음 또한
봄, 여름, 가을, 겨울,
사계절 중에 하나일 것이다.

마음 속에 있는 자연의 집터란

햇살 한 점 들어가지 못하는 캄캄한 몸 속
그곳은 우주의 허공과 같은 곳.
그곳에 마음이 자리하고 있다면,
그 마음속에 자연을 품어 보아라.
나 또한 자연의 집터 속에 있게 될 것이다.

마음 바라기 꽃이란

해바라기는 작렬하는 태양빛과
열 바라기로 자라는 꽃이지만
마음 바라기 꽃은 석양빛 같은 사색으로
마음속에서 자라는 꽃이다.

누군가에게서 헤어나오지 못한다는 것도

내 안의 나를 누군가로 만들어 놓고
마음속에 가두어 힘들어 하는 것이다.
이는 내가 나한테서 헤어나오지 못하는
마음 작용의 하나라는 것을 알아야 한다.

마음이 약하다고 누군가에게서 들었다면

누군가에게서 마음이 약하다고 들었다면
이는 마음이 약한 것이 아니라
마음을 둘러싸고 있는 벽이 약해
마음의 속살이 드러난 것이다.

마음에 난 상처를

마음의 상처를
꼭 상처 낸 사람에게서만 치유받기를 원한다면
원한 만큼 상처는 더욱 더 덧나진다.

세상의 짐이 무겁게 느껴져 힘들다면

밤하늘에 빛나는 별을 마음에 품어 보아라.
전혀 무겁지 않을 것이다.
또한 한낮에 빛나는 태양을 품어 보아라.
이 또한 마음에서 전혀 무게를 느낄 수 없을 것이다.
그렇다. 이 우주를 다 담아도
무게를 느끼지 못하는 것이 마음이니
너무 마음이 무겁다고 힘들어 하지 말아야 한다.

생각이 흘러도

생각을 흐르게 하여도
생각의 방을 휘감고 흐르게 하여야한다.
생각도 흐르면서 고여야 썩지 않기 때문이다.

자연의 순환이치란

봄에 꽃이 피고 가을에 씨앗이 맺어지고
겨울이 지나 봄이 되면 또 꽃이 피게 되지만
모양과 형질은 같아도 작년의 그 꽃은 아니다.
이처럼 사람 또한 자연의 일부분이니
새롭게 태어난다면 이와 같은 이치임을 알아야한다.

자연인이란

자연에 집을 짓고 사는 사람을 말할 것이다.
다만 사방팔방으로 붙잡힌 사람의 팔을 거두고 대신,
자연의 팔을 붙잡는 이가 더욱 자연인일 것이다.

자연과 하나 되는 것이란

자연의 순환이치에 순응하면서
안팎으로 사시사철 변화하는 우주질서를 관조하여 보자.
또한, 자연의 은밀한 소리에 귀 기울여보자.
느끼고 들릴 것이다.
인간 또한 소자연이니
이미 대자연의 하나이기에 당연하다.

설 수 없다면

설 수 없다면 누워라.
그리고 하늘을 바라보라.
서있기도 하고, 누워있기도 하면서
살아가는 것이다.

한 생각 알아 차렸다고

한 생각 알아 차렸다고
모든 것을 다 이룰 수 있다고 생각 한다.
봄이 왔구나 하고 알았다 해도
이는 봄이 로구나 라고 알아차리는 것일 뿐,
봄은 불러서 오지 않고
스스로 왔다는 것을 잊지 말아야 한다.

태양은 저 멀리 우주에 있을 뿐인데

태양의 형상을 사절지 도화지에 그렸다고
태양이 도화지에 있는 것인가?
태양이라고 노트에 글씨는 써놓으면
태양이 노트에 있게 되는 것인가?
태양은 올수도 없고
다만,
태양의 빛과 열만 지구에 다가올 뿐이다.

사랑과 이별과 가족에 대하여

누군가가 나를 바라봐 주기를 바라는 이유는

나는 나를 직접 볼 수가 없고
거울 속에 비친 허상만 볼 수 있기에
그래서 그렇게 누군가가 나를 직접 봐주고
옆에 있기를 원하고 있는지 모른다.
그러나 내가 타인을 보는 것 역시 겉모습이고
타인 또한 내 모습을 보는 것이 나의 겉모습이니
이 또한 허상에 머무를 수 있음을 알아야 한다.

혼자이면서 외롭다고 하면서

하나인 나를 반으로 나누고
나머지 반쪽이 없어 외롭다 하지는 않은지.
혼자로서 하나인,
나는 이미 하나로써 존재 하는
그냥 하나일 뿐이다.

사랑엔 순도가 달라서

순도가 달라 사랑하게 되고,
또한 그 순도를 맞추려다 희석되어
멀어져 간다.

누군가를 너무나 사랑하는 사랑은

너무 사랑하기에 짝사랑인 것이다.

사랑한다 하면서 미워하고 있다면

사랑한다면서도 미워하고 있다면,
지금은 미워하고 있는 것이다.

외로워서 사랑받기를 원한다면

외로워서 찾는 것이기에 외로움이 다하면,
사랑 또한 끝나게 된다.

죽을 만큼 사랑한다고 한다면

이미 비관적인 사랑을 하고 있는 것이다.
행복한 사랑을 꿈꾸는 자,
천년을 살면서 사랑한다 하여야 할 것이다.

내안의 사랑은 어디쯤에 머물러 있는 것일까

사랑 할 수 있는 것은 마음이니,
마음쯤에 머물고 있다 볼 수 있겠다.

사랑하는 사람과의 만남이 인연이라면

정말 인연이라면,
못 만날 이유도 헤어져야할 이유도 없을 것이다.

사랑을 설득하려는지

사랑은 설득하는 것이 아니라 사랑하는 것이다.

사랑은 심고 가꾸는 것인데

사랑을 잡으려 하지 말아야한다
사랑은 씨앗을 뿌리고 가꾸고 보는 것이어야 한다.

애정을 가지고 있다고 하면서 못 박는 말을 한다면

말을 하는 순간이 찰라 일지라도 못 박는 순간에는
애정은 없는 것이다.

사랑을 한다면서도 싸우고 있다면

지금은 싸우고 있는 중이다.

이별하고 가슴이 시리거든

이별하고 가슴이 시리거든 심장을 난로 삼아
나를 따뜻하게 하여주라.
현재 시리고 아픈 것은 나이니까.

처음부터 사랑하는 사이도 아니면서

태어나서부터 쭉 같이 사랑한 사이도 아니면서
죽어도 못 보낸다고 한다면,
아마도 올 수 있는 사랑은 없을 것이다.

곁에 있어서 더욱 외롭다면

그리워했던 마음이 지금은 아닌 것이다.
그러니 그리워 할 수도 없어 더욱 외로운 것이다.

사랑한다면서 소유하고 싶다면

사랑한다면서 누군가를 소유하고 싶어 한다면
소유하고 싶어 하는 나를 사랑하는 것 일 뿐이다.

머물러서 상처라면

머물지 마라, 머무르면 덧날 뿐.
추억으로 떠나라, 세월로 아문다.

실연 끝에 세상이 텅 빈 것처럼 느껴진다면

누군가와 이별한 후에는
온 세상이 사람이 살지 않는 것처럼
텅 비고 외롭게 느껴 질 것이다.
정말 한사람을 지독하게 사랑하고 이별한 것이 맞다.
그러나 단 한사람하고만 이별한 것임을 또한 알아야 한다.

흉터를 보고 아프다고 하면서 머물려 있다면

지금 아프고 있다면 상처가 있을 뿐
흉터란 아직 없는 것이다.
흉터가 있다면 과거의 아픈 흔적으로,
지금은 아프고 있지 않아야한다.

헤어져서 아프다면

아프게 헤어진 것이다.

다향 그윽한 동행이란

사색의 새싹이 무럭무럭 자라나
온 들녘을 다향으로 가득 채울 때
그 향을 같이 느끼면서 미소 짓는
그런 사이일 것이다.

둘이 같이 살면서도

둘이 같이 살면서도
혼자 살던 자기 방식과 습관대로 행동하고자 하고,
자기의견은 안 따라 준다고 힘들어 하고
아무리 생각해도 잘 안 맞는다고 생각 한다면,
이는 잘 안 맞는 것이 아니라
혼자 살고 있는 것일 것이다.

갓길 같은 동행이란

출발해서 도착까지
한번 도 끊어지지 않고 같이 동행 하면서도
있는지 없는지 모르게 곁에 있어 주는 갓길.
힘들 때에는 피난길이 되어주는 길이기에
더욱 아름다운 동행 길을 말한다.

작은 것이 부딪친다는데

작은 일에 부딪친다는 것도
알고 보면 서로의 사고방식과 생활 습관이
빙산의 일각으로 드러난 것 뿐
이면에는 커다랗게 다른 인생관이 자리 잡고 부딪치고 있음을
알아야 한다.

이별은 아름다워야

나는 아름다운 마음을 가진 사람이기 때문이다.

추억 되는 것과 머물러서 아파하는 것이란

마지막 여정이 아쉬워서 머물면서 아파하지 말고,
일찍 돌아서 보라. 일찍 돌아선 만큼 덜 아프다.
곧 세월이란 흐름 속에 추억되어 진다.

서로 다른 이별이란

이별로 인해 소유하지 못해
아쉬움에 괴로워서 힘들어 하는 이와
이별로 추억이 태산처럼 쌓여
그리워하는 이가 있다.

집에 장난감이 많이 있다면

아이는 고독한 시간을 더 보내고 있는지도 모른다.

부모가 걱정하고 이끌어 주어야 하는 자식이란

하고 싶은 것을 하고자 하는 자식이 아니라
먹고 살 걱정을 하는 자식일 것이다.

자기의 부모와 자식이 최고라는데

부모가 자식에게 올인 하는 경우에
웬만하면 자식은 자기 부모가 존경의 대상 1호가 된다.
다만 그들만의 부모와 자식관계에서만
최고라는 것을 인식해야 할 것이다.

부모가 자식과 대화를 원한다면

자식이 말하는 것만 듣고 있어도
이미 대화를 하고 있음을 알아야 한다.

왜 혈연은 설득하기가 어려운 걸까

남이란 설득이 되지는 것이 아니라
취향과 생각이 맞는 사람끼리
교제를 하고 있다고 보아야 할 것이다.
반면, 혈연은 선택의 여지가 없을 뿐이다.

산에 오를 때는 구름처럼 생각해야

살면서 답답한 일들은 다 산 아래에서 만들어 진다.
산에 오른 만큼 구름처럼 생각 하라.
구름이어야 힘들지 않고 산을 넘어 간다.

정리해도 더 어질러지는 것이란

정리하는 것 보다
어질러 놓은 것이 많아서일 것이다.

삶과 생각에 대하여

친구를 만나면 좋기는 한데

어떤 친구를 만나면 무언가 희망이 생기고,
또 어떤 친구를 만나면 노는데 잘 맞는 친구가 있다.

말과 더불어 말하는 이를 이해해야 하는 이유는

말은 말하는 사람이 있으니
말하는 이의 말을 이해하는 것도 중요하지만
결국 사람을 읽을 줄 알아야 할 것이다.

생각은 많이 나는데 연락하기는 부담스러운 경우는

부담스러워서 생각만 하고 연락은 안하는 경우일 것이다.

누구를 만나 벽을 쌓고 허물고

벽은 쌓은 것도 오래 걸리겠지만
허무는 것도 오래 걸리니
벽을 쌓고 허물다 세월은 다 간다.

물이 너무 맑아 물고기가 살수 없다면

사람이 마실 수 있는 일급수로 사용하면 된다.

인생이 부질없다 생각이 들거든

숨넘어가는 이가 임종직전에 세상을 향해
부질없다 할 뿐, 현재는 부질 있다.

무언지 모르지만 열심히 전진하면서 산다는 이에게

무언지 모르는데 전진은 왜 하는가?
그냥 사시게, 전진 하지 말고.

관객도 보고 싶은 연극만 보는데

프로를 지향하는 이라면 그 직업이 당연히
하고 싶은 것 이어야 할 것이다.

힘 빼지 말자

끝이 안 보인다고 힘 빼지 말고 그냥 사시게.
끝이 보이면 숨 넘어 가는 중 일걸세.

혼자 사는 것과 같은 것이란

더불어 사는 세상에,
자기 말과 행동과 사고만 맞다고
끝없이 설명하려 든다면, 그 순간은
그는 혼자 사는 사람일 것이다.

꿈다운 꿈이란

내가 꿈꾸는 일을 누군가가 하고 있다면,
나에겐 꿈일지언정 그 일을 하고 있는 사람에겐
꿈이 아닌 현실이다.
또한 내가 그 일을 못해서 아쉬운 것도
현실일 뿐이다.
궁극으로 현실을 뛰어 넘은 그 이상을 꿈꾸어야
꿈다운 꿈이라 할 것이다.

누군가에게 단점을 말해주고 싶다면

칭찬 하고 싶을 때 단점을 말하여 보라.
단점이 장점으로 돌아와 칭찬으로 말하게 될 것이다.

살아 있는 동안에는 평가를 받는 것이 아니라고 하지만

누군가를 평가할 때
훗날 역사가 평가 할 것이라고 우린 말하곤 한다.
그리고 그것이 먼 훗날 일 같아서
당장은 현실과 괴리감이 느껴지고 느슨해질 것이다.
그러나 평가서만 훗날에 쓰여 질 뿐이고,
기록은 현재를 살아가는 것에 대해 쓴다는 것을 알아야한다.

생각이 많아 답답하다면

이는 생각을 짐처럼 쌓아 두고 있기 때문이다.
생각을 잘 수납하고 정리하여
필요한 생각만 꺼내 쓴다면,
생각이 많은 것이 행복 할 것이다.

생각이 많아 헤맨다고 생각한다면

생각이 많아 헤매는 것이 아니라
생각이 밖으로 나와 방황하고 있기 때문에
헤매고 있는 것이다.

나는 이미 유명인인 걸

아마도 자기가 못났다고 생각 하는 이는 없을 것이다.
잘난 내가 나를 스스로 알아준다면
나는 이미 유명인이 된 것이다.

큰 소나무도 어릴 적엔 작은 소나무였다

어린 소나무라 해서 속이 비워져 있는 것이 아니다.
어린대로 속은 꽉 차 있으면서 크기만 작을 뿐이다.

친절한 마음이란

달을 보았으면 하는 마음에
손가락으로 달을 가리켰는데
달은 안보고 손가락만 본다고 책하기 보단
달을 보라고 한마디 해주는 마음을
친절한 마음이라 할 것이다.

어떤 사물에 대해 평가를 하라 했더니

자기의 입장이나 이해에 따라서
그 사물에 대해 결론을 낸다.
그러한 행위를 계속 되풀이 하는 이를,
우리는 아집이 센 사람이라 한다.

속이 썩는다면

바닷물처럼 짜 보아라.
민물처럼 속을 썩을 일도 없다.

진짜 하고 싶은 것이 있다는데

돈은 기본으로 있어야 해서 우선 돈을 벌어야 한다면,
지금 하고 싶은 것은 돈을 벌고 싶은 것이다.

여행길은 짐인데

머물러 있으면 다 편리한 생활 도구인 것들을,
머물러서 짐이라 생각하고
짐에서 벗어나고자 짐을 꾸려 여행을 떠난다.

먹을 것을 주는 손까지 문다면

배고파하는 사람에게 음식을 나누어 주는데
그 손까지 문다면
이는 맹수라 불러야 할 것이다,

눈물만 버린다면

어떠한 생각으로 서러워
눈물이 나곤 해서 눈물로 그 순간을 해결한다면
눈물은 계속 흘려야 할 것이다.
생각을 눈물로 버려야
그 생각으로 인한 눈물은 그칠 것이다.

산 하나 의지하고 사는 것은 같은데

깊은 산속에서나 외딴섬에서나
산 하나 의지하고 사는 것은 같은데
섬이 외롭다고 느껴진다면,
깊은 산 속은 첩첩산중이여서 더욱 외롭다.

도시는 사람만 많아 외롭다

도시는 인간만이 살 수 있는 외로운 섬이다.
몇 종이 안 되는 애완동물 외엔
모두 살처분 되는 공간이다.
쏟아질 듯 가까이 있는 별과 온갖 풀벌레,
그들이 더 이상 존재하지 않은
도시는 외로운 섬이다.

대나무처럼 산다면

대나무 마디처럼 인내의 방을 만들어 묵상해 보자.
어둡고 캄캄한 사방이 막힌 방이라도,
위로 향한 의지만 있다면
어느새 대나무 한 마디가 하늘 위로 올라간다.
오도 가도 못한다고 답답해하지 말자.
하늘은 열려 있다.
하늘 위에 구름과 만나는 그 곳,
우주는 그대의 것이다.

때론 보랏빛 향기가 필요하다

차가운 이성이 눈 푸르게 각을 세울 때는,
화폭을 뚫고 나올듯한 붉은 열정을 포개어 보자.
그 색은 보랏빛 향기로 피어난다.

힐링 해주는 빗소리

한낮의 따스함이 남아있는
초가을 이른 저녁시간이다.
제법 굵은 빗방울이 지붕을 노크 한다.
조금은 낡은 지붕 밑 사무실에
리듬 더한 빗소리가 스몰거리며 들어온다.
자연은 풍경뿐만 아니라 소리로도 오는 것이다.

무언가 찾으려고 하는 이에게

자연 속엔 이미 다 있다.
지금 필요한 것만 찾으면 된다.

큰 땅 놔두고 작은 땅에 집착함이란

자기 소유의 작은 땅에 집착하는 동안
자연이란 큰 땅을 잊어버림을 알아야 한다.

어디쯤부터 집착일까

아마도 감탄사 이후부터일 것이다.
그 다음은 주어부터 시작하기 때문이다.

지치고 힘들 때면 이렇게라도

사람에게로 향하는 시선만이라도 거두어 보라.
한결 힘이 덜 들 것이다.

아까운 사람이라고 이야기를 듣는다면

고치기가 어려운 치명적인 단점이 있다는 점을
암시하고 있음을 알아차려야 한다.

대화중에 상대방이 우긴다면

사이좋은 관계에서 우기는 것을 보았는가?
우기는 사람이나 듣는 사람이나
그 상황이 편하지 않는 시간이란 것을 직감하고,
이성적으로 그 상황을 정리하는 것이 고수일 것이다.

평생을 집집 하면서도

평생을 집집 하면서 살면서도,
집에 몇 시간만 있으면 답답해 못 견딘다.
분명코 집은 돈이고 재산이니 싫지는 않을 것이고,
그러면 불만족해 하는 것이 무엇인지
잘 헤아려 보기 바란다.

할 일을 찾아야 한다면

할 일을 찾을 때,
우리는 바깥 어디엔가 있는 일을 찾기 위해 힘들어 한다.
그러나 할 일을 내안에서부터 찾아보기 바란다.
머리에서 발끝까지 수많은 할 일이 내안에 있기 때문이다.
가장 잘 할 수 있는 일도 나에게서부터 나오기 때문이다.

스스로 무덤을 파는 것이란

그들만의 세계와 색깔 속에,
그들과 별개인 내가
돈과 마음과 열정을 그들에게 써 가면서
매몰 되어 가는 것을 말한다.

과거의 누군가에게 신뢰감을 잃었다면

그날 이후부터 현재까지도 신뢰감을 잃고 있을 것이다.
왜냐하면, 나쁜 기억이란 지워지지 않기 때문이다.

술이 문제라는데

술은 답이다.
여러 가지 이유 때문에,
그 해소책으로 술을 찾기 때문이다.
문제가 술술 풀린다 해서 술이 아닌가?
과하게 품고 술이 문제라 한다면
술을 슬프게 하는 것이다.

청춘이기에 다 할 수 있어도

인생은 청춘 때만 있는 것이 아니기에
그 중에 하나만이라도 특화하여
청춘이 그리워 질 때를 대비 하여야 할 것이다.

더 이상 여백이 없을 때는

더 이상의 여백이 없으니 답답할 것이다.
지우려 애쓰지 말고 다음 장으로 넘겨
새롭게 시작 하면 될 것이다.

사방이 산 뿐 이라고 답답해 한다면

하늘 지붕에 산 벽이 사방에서 나를 감싸주는,
자연의 집에 살면서 스스로 욕심이 과하다고
하는 것일 것이다.

가진 것이 책뿐이라 해도

정신적으로 든든한 친구들이며,
언제라도 사색을 통해
나와 동행해 주는 친구들이다.

어디쯤에서부터 이성을 잃어 가는 것일까

주변에 있는 사람들이
인형으로 보이기 시작할 때일 것이다.

장작에 불을 잘 피우고 싶다면

굴뚝을 잘 만들어 연기를 잘 빼내야 할 것이다.
연기는 장작의 답답한 마음이기 때문이다.

바쁘다면

사색을 순발력 있는 속도감으로 즐길 준비를
하여 보기 바란다.

오늘만 있는 것일까

농사일에 내일이 없다면 어찌 농사를 지을 수 있겠는가?
계절과 세월 속에 오늘과 내일은 존재하는 것이다.

나이가 들어 갈수록

나이가 들어 갈수록 생각의 끈을 붙잡고
옆길로 새지 않도록 긴장하면서 말해야 할 것이다.
그래야 대화다운 대화를 하는 것일 것이다.

살아서 고인돌이란

머리에 무거운 돌 하나 올려놓고
언제부턴가 형성된 의식으로부터
한 발자국도 움직이지 않는 사람이 있다.
사후에도 돌인걸
살아서 이미 돌이 되어 버린
그런 사람을 말한다.

사는 것만으로도 즐겁다면

사는 것만으로도 즐겁다는 것은,
살아 있는 것만으로
이미 살아가야 하는 목표를 달성한 것이다.

누군가에게 충고 하고자 한다면

누군가에게 충고를 하고자 한다면
과연 내가 그에게 충고를 할 수 있는지
나에게 먼저 충고를 하여 보라.

청빈하게 사는 것이란 1

빈곤한 모습은 가난과 같아 보인다.
그러나 청빈은 주체적 생활양식의 하나로
스스로 선택한 것이기에
피동적 상황에 몰려 가난하게 사는 것과는
내용 면에서 다르다.

청빈하게 사는 것이란 2

청빈 속엔 무언가를 더 이루고 갖고자하는
염원 자체도 끼일 자리가 없게 된다.
마음이 이미 부자이기 때문이다.

다르지만 같이 가는 것이란

한 마음인 줄 알았는데
두 마음인 걸 알아차리는 여정일 것이다.

마음에 때가 묻었다면

우리가 어떤 신념으로 다가갈 때 귀의 한다고 한다.
마음에 신념의 옷을 입었다는 뜻이다.
그 옷에 때가 묻었다면 닦아내면 그만이다.
마음의 때란 욕심이란 얼룩이기 때문이다.

최고를 지향하기에 독이 된다면

사랑이나 우정에 대해 지고지순하고 절절한 글들이 넘쳐난다.
그 글들이 지닌 최고점에 대한 목표가
실제의 사랑과 우정과는 괴리감이 많아
그 좋은 글들이 독이 되는 경우가 많아진다.
세상엔 무결점이 없는 사랑과 우정은 없기 때문이다.

궁상맞고 꼴불견으로 사는 것이란

현재의 생활이 가난하지도 불쌍하지도 않는데,
없을 때의 생활방식 그대로 살면서
자랑스러워하며 강요하는 이를 말한다.

음양을 잘 지키고 사는 것이란

주어진 시간을 잘 지키고 살면
이미 음양의 조화 속에 사는 것이다.

잘 살기 위해서는

노래를 잘 부르기 위해서는
혼심을 다해 반복해 부르면
조금씩 나아져
잘 부르게 되는 것을 느끼게 될 것이다.
생각 또한 다듬고 다듬어 보면
더욱 좋은 생각이 만들어 진다.
사는 것 또한 같을 것이다.

조용한 곳에서 쉬고 싶다는 이에게

우선은 내가 머물고 있는 방의 문을 걸어 잠그고
조용히 눈을 감고 10분 만이라도 있어 보아라.
편안한 마음이 되면 된 것이다.
그렇지 못 하면 그 어느 곳도
조용하고 편안한 곳은 없을 것이다.
혼자만이 있는 이 공간에서부터
조용한 곳은 시작되기 때문이다.

모두가 같다 하더라도

사람은 모두가 평등하다.
이 말은 보편적 가치 기준으로 본 기본 권리를 말하는 것이다.
다만, 가치관은 경우에 따라 본 받을만한 것과
비판 받거나 부족하여 채워야 할 가치관도 있을 것이다.
사람은 다 그렇고 그렇다느니 다 똑같다느니 한다면,
전자의 생각을 후자와 같은 것으로 착각하는 것에 불과하다.

상처를 내고는

무언가 도움을 준다고 하면서 다가오는데
머리가 지끈거리며 아픈 사람이 있다.
그 사람은 약간의 물질을 가지고 오면서
마음으로 상처가 될 말과 행동 또한
덤으로 가지고 오기 때문일 것이다.
뒤끝이 없다고 상처를 안 준 것인가?

왜 결혼 하지 않느냐고 하는데

결혼 생활에 결코 행복하지도 못하면서
만날 때마다 결혼 이야기를 꺼내는 사람이 있다.
결혼 안하고 있는 사람의 가치관이 있음에도
결혼한 행위 자체가 성공한 것처럼 의식하기에
피곤한 사람이다.

'정 반 합'의 원리에서 '반'을 반대로만 보지 말고

'정'과 '반'이라는 글자의 의미에만 머무르지 말고
양과 음의 조화로 태극이 되는 이치도 헤아려 봄직 하다.

화가 나기 시작한다는 것은

지금 맹수가 되어 가고 있음을 자각하고
이성이란 튼실한 울타리를 넘지 않도록 해야 할 것이다.

화가 난다면

화가 나면 이미 화가 난 것이니 참을 수도 없다.
다만, 화가 몸 밖으로 표현되기 전까지의
마음의 공간을 최대한 넓혀
화가 마음 안에서 뛰어 놀게 두어라.
그런 다음, 잘 씻긴 후에
깨끗하고 우아한 이성의 옷을 입혀 보아라.
화는 더 이상 화가 아닐 것이다.

퇴장하는 것이 이처럼 요란해서야

자연이란 품 속에는 다양한 종이 존재하고 살고 있으며,
이들의 객체들은 끊임없이 생멸을 반복 하지만,
그 해당 종이 전체로서 존재하는 한
그 종은 멸종 한 것이 아니다.
자연 속에서 인간이란 종으로 태어나
자연 속으로 가는 것은 순리이니
끝까지 인간적인 방식으로 마무리 의식을 요란 하게 갖지 말고
구름과 바람이 흐르듯이
사뿐히 자연에 안착 하도록 하자.